Recettes de Camille Le Foll

crumbles

Photographies de Akiko Ida

• MARABOUT CÔTÉ CUISINE •

sommaire

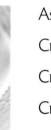

astuces

Crème Chantilly

**pour 25 cl de crème fleurette
ou de crème fraîche épaisse**

Mettre la crème fleurette au froid environ 2 heures avant de la fouetter.

Avec un batteur électrique battre la crème de manière à lui incorporer le plus d'air possible. Commencer à petite vitesse puis augmenter progressivement. Dès que la crème est bien mousseuse et pleine de bulles, ajouter 1 à 2 sachets de sucre vanillé ou du sucre glace et éventuellement l'arôme choisi : cannelle, alcool, jus d'orange, extrait de café.

Les crèmes fraîches épaisses vendues au rayon frais des supermarchés, sont épaissies artificiellement par des ferments lactiques ce qui les empêche de monter. Choisissez donc de la crème fleurette en brick UHT. Pour une saveur plus prononcée, achetez de la crème fraîche épaisse vendue en vrac chez les crémiers et détendez-la avec un peu d'eau glacée ou de lait avant de la travailler.

Crème anglaise

**pour 1 litre environ (8 personnes)
6 jaunes d'œufs
100 g de sucre en poudre
1 à 2 gousses de vanille
75 cl de lait**

Porter le lait à ébullition avec les gousses de vanille fendues en deux dans le sens de la longueur et laisser infuser 10 minutes. Bien récupérer les petits grains qu'elles contiennent et les mélanger au lait.

Fouetter les jaunes d'œufs avec le sucre jusqu'à ce que le mélange soit mousseux et d'un jaune très pâle.

Verser le lait chaud sans cesser de fouetter. Reverser la préparation dans la casserole et faire épaissir à feu très doux, sans cesser de tourner avec une cuillère en bois.

Lorsque la crème nappe celle-ci et que la mousse ne flotte plus à la surface, ôter la casserole du feu et continuer à remuer pendant 2 minutes avant de laisser refroidir.

Sucres roux

La cassonade : sucre roux cristallisé tiré de la canne à sucre. De couleur claire, il possède un léger parfum de rhum.

La vergeoise : extraite à partir de la canne à sucre ou de la betterave. La vergeoise d'une consistance plus moelleuse que la cassonade se décline en deux versions : la première, blonde, est modérément parfumée ; la seconde, brune, a un arôme soutenu.

Le sucre mascobado : obtenu par évaporation du jus de canne. Il n'est soumis à aucun raffinage et conserve ainsi l'essentiel de ses vitamines et minéraux, notamment du magnésium, du phosphore et du fer. De couleur sombre, il se présente sous la forme de petits cristaux irréguliers du fait des résidus et des impuretés qu'il contient et possède une saveur très marquée d'où il tire son nom.

Excès de jus

Certains fruits (ou légumes) ont l'inconvénient de rejeter de l'eau en cours de cuisson, risquant ainsi de détremper la croûte du crumble. Il existe pour pallier cet inconvénient des ingrédients qui font office de véritables absorbeurs d'humidité : une quantité infime de tapioca ou de crème de riz suffit à résorber un trop-plein de jus rejeté par les fruits, tout comme la semoule que l'on réservera de préférence aux préparations salées. Certains biscuits (boudoirs ou crackers) font aussi très bien l'affaire, émiettés entre les fruits et la pâte.

Biscuits

On peut s'amuser à confectionner des pâtes de crumbles originales et délicieuses en se servant comme base de biscuits ou de gâteaux secs, tels que les galettes bretonnes, du pain d'épice émietté ou toasté, des digestives (biscuits anglais à la farine complète), des spéculos, des macarons, etc.

Le bon geste

D'une manière générale, il est toujours préférable de confectionner la pâte du crumble à la main et non au moyen d'un robot, qui a tendance à écraser les différents ingrédients. Le meilleur moyen, et non le moins rapide, est d'amalgamer d'un geste souple et léger, sans les malaxer, le beurre bien froid, la farine et le sucre. Si vous avez le temps, il est préférable de laisser reposer un peu la pâte au frais avant de l'émietter sur les fruits.

Crumble de Marie

**6-7 pommes
« belle de Boskoop »
ou Canada gris**

50 g de beurre

miettes
220 g de farine

200 g de sucre

200 g de beurre salé

Éplucher les pommes et les couper en morceaux.
Les faire revenir dans le beurre.

Préchauffer le four thermostat 6 (180 °C).

Confectionner les miettes : mélanger le sucre, le beurre
et la farine jusqu'à l'obtention d'une pâte sableuse.

Répartir une fine couche de ces miettes au fond d'un plat,
la recouvrir des pommes sautées et finir en saupoudrant
le reste de miettes.

Laisser cuire 40 à 50 minutes jusqu'à ce que le dessus soit
bien caramélisé.

Crumble aux fruits rouges

700 g de fruits rouges mélangés (framboises, groseilles, mûres, cassis, myrtilles…)

30 à 50 g de sucre suivant l'acidité des fruits

1 c. à soupe de tapioca ou de crème de riz

miettes

170 g de farine

170 g de sucre

100 g de beurre

1 pincée de sel

Préparer les fruits si nécessaire (égrapper les groseilles et les cassis).

Les répartir dans un plat et les saupoudrer de sucre et de tapioca.

Préchauffer le four thermostat 6 (180 °C).

Préparer les miettes en mélangeant tous les ingrédients du bout des doigts et en recouvrir les fruits.

Mettre le plat dans le four chaud et laisser cuire 25 à 30 minutes.

Servir tiède avec de la glace à la vanille.

Crumble aux coings

500 g de coings

500 g de pommes « reine des reinettes »

500 g de poires à chair fondante

50 g de sucre

1 c. à soupe d'eau de rose

miettes

200 g de farine

175 g de beurre salé

120 g de sucre roux

Éplucher les coings et les couper en quartiers. Les mettre dans une casserole avec un peu d'eau et le sucre en poudre. Laisser cuire 10 minutes.

Pendant ce temps, éplucher les pommes et les poires puis les ajouter dans la casserole. Prolonger la cuisson de 5 minutes. Hors du feu, parfumer avec l'eau de rose.

Préchauffer le four thermostat 6 (180 °C).

Confectionner les miettes : mélanger tous les ingrédients jusqu'à obtenir de grosses miettes.

Répartir la compote dans un plat et saupoudrer de miettes.

Enfourner pendant 25 minutes environ.

Servir avec de la crème fraîche épaisse ou une crème anglaise.

Crumble aux griottes

800 g de griottes

1 c. à soupe de crème
de riz ou de tapioca

miettes

120 g de farine

120 g de beurre

120 g de sucre

120 g de poudre
de noisette

Confectionner les miettes : mélanger du bout des doigts tous les ingrédients de la pâte sans trop les travailler et réserver au frais.

Dénoyauter les cerises et les mélanger à la crème de riz.

Préchauffer le four thermostat 6 (180 °C).

Répartir les cerises dénoyautées dans un plat allant au four et émietter la pâte dessus. Mettre dans le four préchauffé pendant 30 minutes environ.

Servir saupoudré de sucre glace parfumé à la cannelle ou avec une glace pralinée.

Crumble belge

6 poires williams
50 g de beurre

miettes
3 tranches de pain d'épice
5 spéculos
70 g de beurre
100 g de farine

1 mixeur

Peler les poires et les couper en quartiers.
Les faire revenir dans le beurre à feu vif.

Préchauffer le four thermostat 6 (180 °C).

Confectionner les miettes : faire chauffer dans un grille-pain les tranches de pain d'épice pour les ramollir puis les émietter. Les passer au mixeur avec les spéculos afin d'obtenir une grosse chapelure, ajouter le beurre et la farine : le mélange doit ressembler à de grosses miettes.

Disposer les poires dans un plat et recouvrir avec les miettes. Mettre le plat dans le four chaud et laisser cuire 20 minutes environ.

Servir avec du yaourt velouté ou de la glace au miel.

Black crumble

800 g de quetsches

600 g de figues

200 g de mûres

50 g de sucre

miettes

150 g de farine

100 g de beurre

80 g de cassonade

1 c. à café de cannelle

1 pincée de sel

Dénoyauter les quetsches et les faire cuire dans une casserole avec le sucre et un peu d'eau pendant 5 minutes. Hors du feu, ajouter les figues pelées, coupées en quatre, et les mûres.

Préchauffer le four thermostat 6 (180 °C).

Confectionner les miettes : mélanger tous les ingrédients du bout des doigts jusqu'à obtenir des miettes grossières. Répartir les fruits dans un plat, saupoudrer de miettes et placer au four pendant environ 30 minutes.

Servir avec de la crème fouettée et du coulis de framboise.

Crumble au citron

4 citrons

4 œufs

125 g de sucre

60 g de beurre

**3 yaourts au lait entier
(en pots de verre)**

4 c. à café de Maïzena

miettes

160 g de farine

90 g de beurre

60 g de sucre

Prélever le zeste de deux citrons, mais presser les quatre. Mettre les zestes et les jus dans une casserole avec le sucre, le beurre, les œufs et faire épaissir au bain-marie, sans cesser de tourner, jusqu'à l'obtention d'une pâte fluide.

Mélanger le yaourt à la Maïzena et l'incorporer à la crème au citron. Verser dans un plat en porcelaine allant au four.

Préchauffer le four thermostat 5-6 (160 °C) et glisser la grille au tiers supérieur.

Confectionner les miettes en mélangeant tous les ingrédients du bout des doigts. Émietter le mélange délicatement sur la crème au citron afin qu'il reste à la surface et ne s'enfonce pas.

Mettre dans le four et laisser cuire 35 à 40 minutes jusqu'à ce que la crème et la croûte caramélisent en se mélangeant. Déguster tiède.

Crumble express aux fruits rouges

20 cl de crème fleurette

2 sachets de sucre vanillé

700 g de fruits rouges mélangés

8 petits bigoudens (petits sablés bretons très friables)

Placer la crème fleurette au réfrigérateur au moins 1 heure à l'avance.

Fouetter la crème en ajoutant à mi-parcours le sucre vanillé.

Répartir les fruits rouges dans de petits ramequins, les napper de crème fouettée.

Au dernier moment, émietter les petits bigoudens et en saupoudrer les ramequins. Tenir au frais jusqu'au moment de servir sans trop attendre car les miettes de biscuits ramollissent.

Crumble à la nectarine

1,2 kg de nectarines ou de pêches jaunes mûres à point

1 c. à café d'eau de fleur d'oranger

miettes

120 g de sucre semoule

100 g de beurre

150 g de farine

100 g de pistaches grossièrement concassées

quelques gouttes d'extrait d'amandes amères

Préchauffer le four thermostat 6 (180 °C).

Confectionner les miettes en mélangeant tous les ingrédients du bout des doigts.

Couper les nectarines en lamelles et les disposer dans un plat. Parfumer avec l'eau de fleur d'oranger. Parsemer de miettes de crumble et mettre le plat dans le four préchauffé pendant 30 minutes environ.

Servir tiède ou froid.

Bonbon anglais

500 g de rhubarbe
500 g de fraises
2 bananes
40 g de sucre

miettes
120 g de farine
100 g de beurre
100 g de sucre
80 g de noix de coco râpée
1 pincée de sel

Couper en tronçons la rhubarbe, les fraises, suivant leur grosseur en deux ou, quatre, et les bananes en rondelles. Saupoudrer les fruits avec le sucre et les disposer dans un plat.

Préchauffer le four thermostat 6 (180 °C).

Confectionner les miettes en mélangeant tous les ingrédients du bout des doigts et répartir les miettes sur les fruits.

Enfourner pendant 30 à 40 minutes.

Crumble tropical

5 fruits de la passion

2 mangues mûres à point

1 citron vert

10 feuilles de basilic

50 g de sucre

3 biscuits à la cuillère

miettes

150 g de farine

100 g de beurre

80 g de sucre

4 c. à soupe de copeaux de noix de coco grillée

1 pincée de sel

Éplucher les mangues et les couper en morceaux. Ouvrir les fruits de la passion, prélever la chair et la passer au tamis pour en recueillir le jus. Prélever le zeste du citron vert et en presser le jus.

Faire mariner pendant quelques heures au frais les mangues avec le sucre, le zeste, les jus et le basilic ciselé.

Confectionner les miettes : mélanger du bout des doigts la farine, le sucre, le beurre et le sel.

Préchauffer le four thermostat 6 (180 °C).

Répartir les fruits marinés au fond d'un plat, recouvrir avec les biscuits à la cuillère écrasés puis les miettes de crumble et enfin les copeaux de noix de coco.

Faire cuire dans le four pendant 30 à 35 minutes.

Servir avec un sorbet à la noix de coco.

Crumble épicé

1 kg de prunes rouges

250 g de pruneaux

1 orange

2 clous de girofle

1 bâton de cannelle*

1 morceau de gingembre*

miettes

125 g de beurre

150 g de farine

100 g de poudre d'amande

100 g de sucre muscovado
(à défaut de cassonade)

1 pincée de sel

Dénoyauter les prunes et les pruneaux.

Laver l'orange à l'eau fraîche et y prélever un ruban de zeste avec un économe. En presser le jus.

Mettre les fruits, les épices et le jus dans une casserole. Ajouter un peu d'eau et laisser cuire 15 minutes.

Pendant ce temps, confectionner les miettes : mélanger tous les ingrédients du bout des doigts.

Préchauffer le four thermostat 6 (180 °C).

Récupérer les différentes épices dans la compote et la verser dans un plat. Répartir dessus les miettes et enfourner pendant 20 minutes.

Servir avec de la crème aigre ou du yaourt velouté.

* On peut remplacer chacune de ces épices par 1/2 cuillère à soupe de cannelle et de gingembre en poudre.

Cheese crumble

6 petits-suisses

**300 g de fromage frais
(type carré frais)**

4 œufs

100 g de sucre

**1 c. à café de vanille liquide
ou en poudre (ou le zeste
d'un citron râpé finement)**

miettes

50 g de beurre

12 petits-beurre

**3 c. à soupe de flocons
d'avoine**

1 c. à soupe de sucre roux

1 pincée de sel

Préchauffer le four thermostat 3-4 (120 °C).

Fouetter les œufs avec le sucre jusqu'à ce que le mélange blanchisse. Ajouter la vanille, les petits-suisses et le fromage frais.

Verser la préparation dans un plat en porcelaine et le placer dans le four pendant 45 à 50 minutes : le centre doit être juste ferme. Laisser refroidir dans le four éteint puis au réfrigérateur pendant une nuit.

Confectionner les miettes : faire fondre le beurre, puis mixer grossièrement tous les ingrédients en procédant par à-coups. Répartir cette pâte granuleuse à la surface de la crème au fromage en pressant légèrement puis tenir au frais jusqu'au moment dè servir.

Accompagner d'un coulis de fruits rouges.

Crumble aux abricots à la lavande

1,2 kg d'abricots

100 g de sucre

40 g de beurre

2 ou 3 gouttes d'huile essentielle de lavande

miettes

150 g de farine

120 g de sucre

120 g de beurre

40 g d'amandes effilées

Dénoyauter les abricots et les couper en quatre.

Faire fondre le beurre dans une grande poêle à feu vif et ajouter les abricots. Saupoudrer de sucre et prolonger la cuisson jusqu'à ce que les fruits soient caramélisés.

Hors du feu, ajouter l'huile essentielle de lavande puis verser les abricots dans le plat de cuisson.

Préchauffer le four thermostat 6 (180 °C).

Confectionner les miettes : mélanger du bout des doigts le sucre, la farine et le beurre. Émietter cette pâte sur les abricots et parsemer d'amandes effilées.

Enfourner pendant 25 à 30 minutes. Déguster tiède.

Crumble de tomates sucré aux épices

1 kg de tomates bien fermes

1 mangue

1 gousse de vanille

1 petit morceau de gingembre frais

quelques grains de poivre vert frais ou au naturel (à défaut, quelques tours de moulin de poivre vert lyophilisé)

40 g de beurre

2 c. à soupe de sucre

miettes

150 g de farine

100 g de beurre

80 g de sucre

1 pincée de sel

Peler, épépiner les tomates ; les couper en morceaux ainsi que la mangue.

Les faire revenir dans le beurre à feu vif. Saupoudrer de sucre jusqu'à ce que les fruits soient bien caramélisés.

Hors du feu, ajouter les épices : le gingembre râpé, le poivre écrasé ou moulu, l'intérieur de la gousse de vanille grattée. Verser dans un plat. Préchauffer le four thermostat 6 (180 °C) en glissant la grille sur le tiers supérieur.
Confectionner les miettes en mélangeant du bout des doigts tous les ingrédients et les saupoudrer uniformément sur le plat. Enfourner pendant 15 à 20 minutes.

Servir tiède avec de la crème fleurette bien froide ou de la glace à la vanille.

Crumble aux fruits d'hiver

2 c. à café de thé
(fumé ou au jasmin
si on l'aime)

100 g de pruneaux

100 g d'abricots secs

100 g de poires séchées

80 g de raisins de Malaga
(ou, mieux, de gros raisins
du Chili sans pépins)

miettes

180 g de farine complète

80 g de beurre

1 c. à soupe d'huile
de sésame grillé (dans les
épiceries chinoises)

60 g de cassonade
ou de sucre muscovado

2 c. à soupe de sésame
grillé

La veille : préparer 1 litre de thé et y faire gonfler pendant une nuit les pruneaux dénoyautés et les autres fruits secs.

Le jour même : confectionner les miettes en mélangeant du bout des doigts tous les ingrédients.

Préchauffer le four thermostat 6 (180 °C).

Égoutter les fruits en conservant un peu de jus de macération et les couper, le cas échéant, en morceaux.

Les répartir dans le plat de cuisson et émietter la pâte sur le dessus. Laisser cuire dans le four chaud pendant 30 minutes environ.

Servir avec de la crème aigre ou du fromage blanc de campagne.

Crumble au chocolat fondant

200 g de chocolat bien amer

25 cl de crème fleurette

10 cl de lait

1 œuf entier + 3 jaunes

miettes

75 g de noisettes grillées

75 g de sucre en poudre

75 g de beurre

100 g de farine

1 mixeur

Dans une petite casserole, mettre les noisettes avec le sucre. Quand il commence à fondre et à se transformer en caramel, ôter du feu. Passer ce mélange au mixeur, puis ajouter la farine et en dernier lieu, le beurre, sans trop travailler la pâte.

Râper le chocolat.

Faire bouillir le lait et la crème fleurette. Hors du feu, ajouter le chocolat. Laisser reposer 5 minutes et mélanger la préparation jusqu'à ce qu'elle soit bien homogène.

Préchauffer le four thermostat 3-4 (120 °C) en glissant la grille au tiers supérieur du four.

Ajouter les œufs battus à la préparation au chocolat qui doit épaissir et prendre la consistance d'une mayonnaise.

La verser dans un plat et répartir dessus, très délicatement, les miettes de crumble.

Placer dans le four et faire cuire 40 minutes.
Puis chauffer le gril pour faire dorer légèrement le dessus du crumble sans le laisser brûler.

Servir tiède ou froid.

Crumble au chocolat blanc

4 bananes

3 pommes reine
des reinettes

3 c. à soupe de raisins
secs, gonflés dans du rhum

miettes

60 g de chocolat blanc
(à la noix de coco si
possible)

100 g de noix de coco
râpée

70 g de sucre

100 g de farine

100 g de beurre

1 pincée de sel

1/2 c. à soupe de cannelle
en poudre

1 mixeur

Mixer grossièrement le chocolat blanc ou le casser
en très petits morceaux.

Confectionner les miettes en mélangeant tous les ingrédients,
sauf le chocolat blanc. Laisser reposer le mélange 2 heures
au réfrigérateur.

Préchauffer le four thermostat 6 (180 °C).

Faire cuire les pommes épluchées dans une casserole
pendant 10 minutes. Hors du feu, ajouter les raisins secs
et les bananes coupées en rondelles.

Les répartir au fond du plat.

Mélanger les pépites de chocolat blanc aux miettes
du crumble et en saupoudrer la compote.

Faire cuire 30 minutes environ au four préchauffé.

Servir avec une crème anglaise.

Crumble poires/bananes/chocolat

5 poires

2 bananes

25 g de gingembre confit

miettes

100 g de beurre

100 g de farine

60 g de poudre d'amande

100 g de sucre en poudre

2 c. à soupe de cacao
en poudre

1 c. à café de gingembre
en poudre

100 g de pépites
de chocolat

Préchauffer le four thermostat 6 (180 °C).

Éplucher les poires et les bananes puis les couper
en rondelles et en dés.

Les disposer dans un plat avec le gingembre confit coupé
en petits morceaux.

Confectionner les miettes : mélanger du bout des doigts
tous les ingrédients, sauf les pépites de chocolat. Les ajouter
lorsque la pâte a la consistance d'une grosse semoule.
Répartir le mélange sur les fruits.

Enfourner et laisser cuire 20 minutes environ.

Servir tiède avec un sorbet au citron vert ou au cacao amer.

Crumble café glacé

3 jaunes d'œufs

30 cl de lait

30 cl de crème fleurette

60 g de sucre

2 c. à café de café soluble

miettes

50 g de cerneaux de noix

40 g de biscuits fins
au beurre (genre pain
d'amandes)

1 c. à soupe de café
soluble

1 mixeur

Placer la crème fleurette au réfrigérateur au moins 1 heure à l'avance.

Chauffer le lait et 1 cuillerée à café de café soluble. Parallèlement, fouetter le sucre et les jaunes d'œufs jusqu'à ce que le mélange devienne bien mousseux. Verser le lait chaud sur le mélange et fouetter de nouveau. Remettre le tout dans la casserole et, tout en tournant, faire épaissir la crème au café sans la laisser bouillir. La faire refroidir en tournant de temps en temps pour accélérer le refroidissement.

Fouetter la crème fleurette en chantilly et la tenir au frais.

Passer au mixeur les biscuits et les cerneaux de noix jusqu'à l'obtention d'une chapelure fine. Ajouter le café soluble. Tasser cette préparation au fond de petits ramequins individuels.

Lorsque la crème au café est froide, la mélanger délicatement à la chantilly. Ajouter pour finir la cuillère de café lyophilisé restante et répartir cette mousse dans chacun des petits ramequins. Laisser prendre au congélateur pendant 6 heures minimum mais sortir les crumbles au moins 10 minutes avant de servir.

Crumble de Brigitte à la tomate

1,2 kg d'olivettes, à défaut
de tomates rondes

250 g de petits oignons
blancs ou d'oignons grelots

30 g de beurre

1 c. à soupe de sucre roux

thym, romarin

sel, poivre

miettes

80 g de beurre

100 g de farine

60 g de noisettes
concassées et grillées

40 g de parmesan

1 c. à soupe d'huile d'olive

sel

Peler les oignons et les couper en quartiers. Faire fondre à feu doux le beurre et le sucre roux directement dans le plat destiné au crumble, et y faire revenir les petits oignons.

Peler et épépiner les olivettes, les couper en gros quartiers et les mettre dans une passoire. Secouer régulièrement pour bien les égoutter. Lorsque les oignons sont cuits, disposer les olivettes dessus. Saler et poivrer.

Préchauffer le four thermostat 6 (180 °C) et confectionner les miettes en mélangeant tous les ingrédients du bout des doigts.
Répartir cette pâte sur les olivettes et mettre 30 minutes dans le four.

Servir avec du chèvre frais écrasé à la fourchette mélangé à de la crème fouettée.

Crumble de courgettes

1 kg de courgettes

250 g de fromage de chèvre frais

1/2 bouquet de menthe

2 c. à soupe de semoule fine

sel, poivre

miettes

150 g de farine complète

75 g de beurre

sel

2 c. à café d'huile d'olive

Laver les courgettes à l'eau froide, ôter les extrémités, les râper finement, les presser entre les mains pour en extraire l'eau et les saupoudrer de semoule.
Ciseler les feuilles de menthe et couper le chèvre frais en dés.
Les mélanger grossièrement aux courgettes et étaler la préparation dans un plat.
Préchauffer le four thermostat 6 (180 °C).

Confectionner les miettes : mélanger la farine, le sel et le beurre puis terminer par l'huile d'olive pour obtenir une sorte de semoule grossière (il sera peut-être nécessaire d'en ajouter un peu plus pour que la pâte ait un aspect moins sec).

Répartir ces miettes sur les courgettes et enfourner pendant 20 à 25 minutes.

Crumble au potiron

1 kg de potiron

100 g de bacon ou de fines tranches de jambon fumé

200 g de cheddar ou de cantal

2 oignons

2 feuilles de sauge

1 c. à soupe de crème fraîche

miettes

150 g de farine complète

80 g de beurre salé

Préchauffer le four thermostat 6 (180 °C).

Éplucher le potiron et le couper en gros cubes. Émincer finement les oignons et les feuilles de sauge puis disposer le tout dans le plat destiné au crumble. Verser un fond d'eau et le mettre dans le four chaud pendant 30 à 40 minutes environ : les cubes de potiron doivent pouvoir être écrasés à la fourchette.

Pendant la cuisson, confectionner les miettes : mélanger du bout des doigts la farine et le beurre puis y émietter 80 g de cheddar ou de cantal.

Sortir le plat du four, écraser grossièrement les cubes de potiron et ajouter le bacon ciselé en fines lanières, la crème fraîche et le reste de fromage coupé en petits morceaux.

Répartir les miettes sur le potiron et remettre dans le four chaud. Laisser cuire encore 20 minutes jusqu'à ce que la croûte soit bien dorée.

Crumble printanier

1 kg de petits légumes variés (poireaux, carottes, courgettes, petits pois, champignons, haricots verts)

100 g de poitrine fumée

30 cl de crème fleurette

quelques brins de ciboulette, cerfeuil, estragon, finement ciselés.

miettes

100 g de beurre salé

100 g de farine

50 g de chapelure

Râper les carottes, les courgettes, les champignons. Émincer finement les poireaux. Blanchir 2 à 3 minutes dans l'eau bouillante salée les petits pois et les haricots verts.

Confectionner les miettes : mélanger le beurre, la farine et la chapelure jusqu'à ce que la pâte soit granuleuse.

Préchauffer le four thermostat 6 (180 °C).

Détailler la poitrine fumée en petits bâtonnets.

Mélanger les petits légumes à la crème fleurette, aux herbes ciselées et aux bâtonnets de poitrine fumée. Verser dans un plat et couvrir la préparation avec les miettes du crumble. Placer dans le four et laisser cuire 30 à 40 minutes.

Nice crumble

1 kg de tomates

1 belle aubergine

3 courgettes bien fermes

1 poivron rouge
et 1 poivron vert

1 oignon

1 gousse d'ail

3 c. à soupe d'huile d'olive

thym, romarin

sel, poivre

miettes

150 g de farine

100 g de beurre

40 g de pignons

60 g de parmesan râpé

sel

Émincer l'oignon et hacher très finement l'ail après en avoir ôté le germe. Faire chauffer l'huile dans une cocotte et y faire revenir l'ail et l'oignon.

Couper l'aubergine en petits cubes et les mettre dans la cocotte. Lorsqu'ils sont bien dorés, ajouter les poivrons coupés en lanières. Assaisonner avec le thym et le romarin, du sel et du poivre. Au bout de 20 minutes, ajouter les courgettes coupées en rondelles et les tomates pelées et épépinées. Bien mélanger et maintenir une cuisson assez vive pour que les légumes rendent leur eau.

Pendant ce temps, préchauffer le four thermostat 6 (180 °C) et confectionner les miettes : mélanger du bout des doigts la farine, le parmesan et le beurre. Ajouter les pignons.

Verser la ratatouille dans un plat et répartir les miettes dessus. Laisser cuire dans le four chaud pendant 20 à 30 minutes.

Servir juste chaud avec du chèvre frais ou de fines tranches de mozzarella.

Crumble indian style

200 g de carottes coupées en petits bâtonnets

200 g de petits pois écossés

200 g de poivron (rouge ou vert) coupé en petits cubes

200 g de chou-fleur en petits bouquets

15 cl de crème fleurette

10 Vache qui rit

1 c. à café de curry

sel

miettes

150 g de farine

80 g de beurre

80 g de noix de cajou

sel

sauce

3 pots de yaourt velouté

1/2 bouquet de coriandre fraîche

quelques gouttes de jus de citron

sel

Faire blanchir les légumes 5 minutes dans l'eau bouillante salée, les égoutter en laissant un peu de liquide de cuisson. Assaisonner avec le curry, la crème fleurette et les Vache qui rit coupées en morceaux. Verser dans un plat en porcelaine allant au four.

Préchauffer le four thermostat 6 (180 °C).

Confectionner les miettes : hacher grossièrement les noix de cajou.

Mélanger du bout des doigts la farine, le beurre et le sel puis incorporer les noix de cajou.

Émietter ce mélange sur les légumes et le placer dans le four. Laisser cuire 20 à 30 minutes environ.

Pendant ce temps, préparer la sauce en mélangeant tous les ingrédients.

Servir le crumble tiède avec la sauce froide.

Crumble à l'orientale

1,2 kg d'épinards

3 c. à soupe de crème fraîche épaisse

150 g de feta

3 c. à soupe de raisins de Corinthe

2 c. à soupe de pignons

1 c. à café d'huile d'olive

1 pincée de noix de muscade

miettes

150 g de farine

2 c. à soupe d'huile d'olive

50 g de beurre

70 g de feta

1 c. à café de cannelle en poudre

1 pincée de sel

Verser dans un bol l'huile d'olive destinée à la pâte et la placer au congélateur.

Faire fondre dans l'huile les épinards épluchés et coupés en chiffonnade. Lorsqu'ils sont tendres et ont rendu toute leur eau, ajouter la crème fraîche, la feta, les pignons, les raisins secs et assaisonner avec la noix de muscade.

Préchauffer le four thermostat 6 (180 °C).

Confectionner les miettes : mélanger du bout des doigts la farine, l'huile d'olive figée, le beurre et le sel. Écraser la feta à la fourchette et l'incorporer aux miettes de la pâte.

Répartir la préparation aux épinards dans un plat et recouvrir de miettes. Saupoudrer de cannelle et enfourner pendant 20 minutes.

Servir éventuellement avec un coulis de tomate.

Crumble à la marocaine

250 g de fonds d'artichauts

250 g de pommes de terre

500 g de courgettes

1/4 de citron confit

10 brins de coriandre

2 c. à soupe de câpres
au sel

20 olives vertes

1 gousse d'ail

1 c. à café de ras-el-hanout

1/2 citron

10 cl d'eau

8 feuilles de brick

4 c. à soupe d'huile d'olive

Couper les légumes épluchés en gros dés et les mettre dans un plat allant au four. Ajouter les olives dénoyautées coupées en deux, le citron confit en petits morceaux, les câpres (les rincer au préalable), la gousse d'ail fendue en deux, les feuilles hachées de la moitié de la coriandre et le ras-el-hanout. Arroser avec le jus de citron et 10 cl d'eau.

Couvrir avec du papier aluminium et mettre dans le four préchauffé thermostat 5-6 (160 °C) pendant 1 heure environ jusqu'à ce que les légumes soient tendres.

Ôter la gousse d'ail, ajouter le reste de feuilles de coriandre fraîche ciselées et maintenir au chaud.

Couper aux ciseaux les feuilles de brick en lanières. Faire chauffer un peu d'huile dans une poêle et y faire dorer successivement le tiers de ces lanières. Les mettre au fur et à mesure au-dessus des légumes en les émiettant au besoin.

Tenir au chaud au four jusqu'au moment de servir.

Attention : les feuilles de brick ont tendance à ramollir.

Crumble au foie gras

1 lobe de foie gras cru
350-400 g

800 g de céleri rave

1 belle poire (300 g)

2 pommes acidulées
Canada gris ou
« belle de Boskoop »

sel

poivre du moulin

miettes

150 g de farine

70 g de beurre

50 g de noix hachées

fleur de sel

Confectionner les miettes : mélanger du bout des doigts le beurre, la farine, les noix hachées et un peu de fleur de sel jusqu'à obtenir une sorte de semoule. Réserver au réfrigérateur.

Éplucher le céleri rave, le couper en morceaux et l'émincer en fines tranches. Faire blanchir pendant 5 minutes dans l'eau bouillante salée. Égoutter.

Préchauffer uniquement la voûte du four thermostat 6 (180 °C), si cela vous est impossible, disposer la grille au tiers supérieur et faites fonctionner le gril à faible température.

Débiter le lobe de foie gras en lamelles et les répartir au fond du plat*. Recouvrir avec les pommes et la poire épluchées, coupées en petits dés, et terminer avec les tranches de céleri rave. Saler et poivrer entre chaque couche.

Répartir les miettes du crumble et enfourner le plat pendant 25 à 30 minutes en veillant à ce que la croûte ne se colore pas trop rapidement. Vérifier avant de servir que le foie gras est cuit ; sinon prolonger la cuisson.

Servir avec une salade verte.

* Pour une présentation raffinée, vous pouver réaliser ce crumble dans des cercles à pâtisseries posés sur une plaque.

Shopping :
Bernardaud (porcelaine)
Conran Shop (textile, vaisselle et couverts)
Kitchen Bazar (couverts et vaisselle)

© Marabout 2002
© texte et stylisme Camille Le Foll
© photographies Akiko Ida

ISBN : 978-2-501-03766-2
Dépôt légal : décembre 2007
40.3445.0/12

Achevé d'imprimer en Espagne par Gráficas Estella